Un brin de paille

UN BRIN DE PAILLE

Fredrick H. Thury
Illustré par Vlasta van Kampen

Traduction Miléna Stojanac

À Alexis et à Sara.
Fredrick H. Thury

À ma fille Saskia. Il est pour toi, ce dromadaire!
Vlasta van Kampen

RÉVISION DE LA TRADUCTION : Roger Magini
MAQUETTE : Peter Maher

Publié pour la première fois par Key Porter Books limited
Copyright texte © 1998 Fredrick H. Thury
Copyright illustrations © 1998 Vlasta van Kampen
Copyright © 1999 Éditions Hurtubise HMH ltée pour la version française
Dépôt légal   B.N. Québec 2ᵉ trimestre 1999
                   B.N. Canada 2ᵉ trimestre 1999

Éditions Hurtubise HMH ltée
1815, avenue De Lorimier
Montréal (Québec)
H2K 3W6 Canada
Téléphone : (514) 523-1523
Télécopieur : (514) 523-9969
www.hurtubisehmh.com

Les Éditions Hurtubise HMH bénéficient du soutien des institutions suivantes:
- Conseil des Arts du Canada
- Programme d'aide au développement
  de l'industrie de l'édition (PADIÉ) **Canada**
- Société de développement des entreprises culturelles au Québec.

DONNÉES DE CATALOGAGE AVANT PUBLICATION
Thury, Fredrick
[Last straw, Français]
Un brin de paille
Traduction de The last straw
Pour enfant de 3 ans et plus
ISBN 2-89428-376-8
I. Van Kampen Vlasta.   II Stojanac Miléna.   III. Titre   IV Titre : Last straw. Français
PS8589.H89L3714 1999.   jC13′.54 C99-940251-X
PS9589.H89L3714 1999
PZ23.T48Br 1999

Imprimé et relié en Chine

Dans la longue nuit du désert, Bousmaha, le vieux dromadaire, dormait. Il rêvait de toutes les eaux du monde et d'une bosse qu'une mer entière remplirait. Il entendait :

— Bousmaha! Bousmaha!

À contrecœur, Bousmaha ouvrit un œil.

— Qu'y a-t-il? Pourquoi me réveille-t-on? grogna-t-il.

Le sable du désert tourbillonnait dans le ciel étoilé.

— Tu as été choisi, soufflèrent les voix. Tu porteras des cadeaux au nouvel Enfant Roi.

— Qui êtes-vous? demanda Bousmaha qui se sentait vieux et fatigué.

— Tu lui porteras de l'or, de l'encens et de la myrrhe.

Les Rois mages t'ont choisi, reprirent les voix.

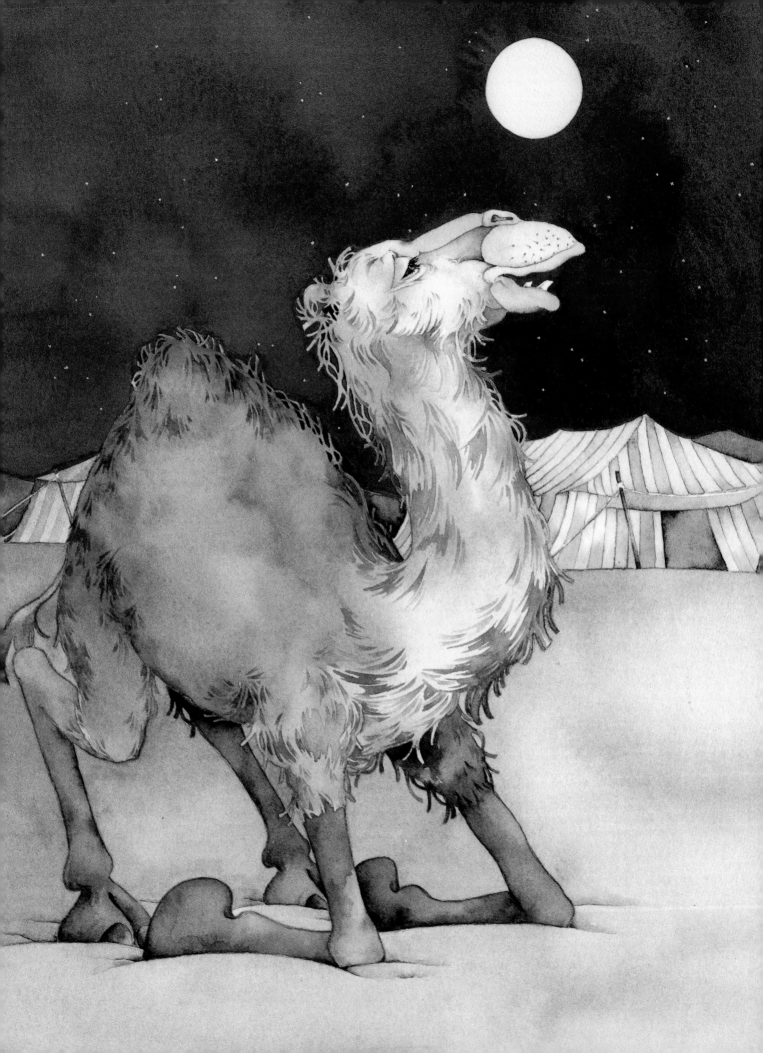

Bousmaha se redressa très lentement.

— Moi? Et pourquoi donc? Comment ces Rois mages peuvent-ils ignorer mes douleurs? Mes articulations? Ma goutte et ma sciatique alors?
Je devrais porter quoi, au juste? Et ça va peser combien, tout ça? Et j'ai aussi d'autres engagements. Il y a un concours de buveurs d'eau à Rangal. Ensuite, je dois absolument assister au congrès des ruminants qui aura lieu à Bassora.

Le sable se plaignit furieusement, fouettant par à-coups la sombre nuit. Bousmaha, étonné, décida qu'il ferait mieux d'obéir aux voix. Car de quoi était capable la tourmente de sable qui agitait ses grandes ailes?

— Quand dois-je commencer? demanda-t-il prudemment.

— Aujourd'hui même.

Alors les voix du sable se turent et l'aube se leva.

Il était encore tôt lorsque les domestiques des Rois mages entreprirent de
charger les précieux cadeaux sur le dos du dromadaire. Les jeunes dromadaires
accoururent voir leur vieil ami. Ils l'admiraient, car Bousmaha était très vieux et tous
croyaient en sa grande sagesse.

— Vous devez être un dromadaire bien particulier.

— Je le suis en effet, répondit Bousmaha en gonflant fièrement sa poitrine.
Vous savez, je ne suis pas si vieux que ça. Je suis encore aussi fort que dix chevaux!
Et, on m'a choisi pour aller porter des cadeaux au nouvel Enfant Roi.

    — Pouvons-nous vous accompagner? hasarda le plus jeune des dromadaires qui ne voulait jamais être en reste.

    — Ne sommes-nous pas vos amis? s'écria un autre.

    — Vous pouvez toujours marcher à mes côtés, décréta Bousmaha de sa voix la plus majestueuse.

    Et ainsi commença ce long voyage.

À midi, un troupeau de chèvres sauvages apparut. Bousmaha pensait qu'elles venaient de loin, depuis les montagnes du Nord.

— Que voulez-vous? demanda-t-il.

— Nous avons entendu parler du roi qui doit naître. S'il vous plaît, prenez ce simple cadeau que nous lui offrons. C'est du lait de chèvre!

— Vous voulez que je porte du lait? blatéra Bousmaha, choqué. Du lait de chèvre? Je ne suis pas un dromadaire porteur de lait, moi! Je ne suis pas comme les autres.

Les jeunes dromadaires entonnèrent en chœur:

— Non, ce n'est pas n'importe qui!

Ils le fixèrent de leurs grands yeux bruns.

— Il est fort! Il est aussi fort que dix chevaux!

« Mes articulations, ma goutte, ma sciatique », marmonna Bousmaha tout bas.
— Donnez-moi votre cadeau, dit-il à voix haute.

À une heure, la caravane rencontra une famille de meuniers.

— Regardez! dit le plus jeune des dromadaires, ils portent des sacs de farine de maïs. Croyez-vous que c'est pour le nouveau roi?

— Peu importe, ils vont devoir les transporter eux-mêmes, répondit Bousmaha.

Ils n'ont qu'à suivre l'étoile, eux aussi.

Les dromadaires firent cercle autour de lui avec impatience.

— Mais tu es si fort! Aussi fort que dix chevaux!

Bousmaha éprouvait une grande fatigue rien qu'à regarder les sacs.

Mais il apostropha les meuniers:

— Donnez-moi vos gros sacs. Je vais les transporter.

À deux heures, des jeunes filles lui donnèrent des étoffes de soie.
— Ça ne pèse pas grand-chose, admit-il.

À trois heures, un vieil homme richement vêtu lui confia deux oiseaux rares enfermés dans des cages en argent.

À quatre heures, des marchands lui présentèrent des
colonnes en chêne sculptées, provenant des forêts du Liban.

À cinq heures, des boulangers lui confièrent leurs sucreries
et leurs pâtisseries les plus raffinées.

À six heures, le soleil se coucha et la foule se fondit dans la nuit.
Bousmaha s'agenouilla, soulagé, dans le sable. Dans la douce noirceur
réconfortante, il n'avait plus besoin de faire semblant qu'il était aussi fort que
dix chevaux!

Le vieux Bousmaha s'aperçut que la nuit n'était plus aussi noire. Il leva les yeux et vit toute la splendeur du ciel et l'éclat particulier de l'étoile qu'on lui avait ordonné de suivre. Il s'endormit en pensant aux voix et aux ailes qu'il lui semblait encore discerner dans les sables ondulants.

Mais à mesure que le soleil se levait au-delà des dunes, il lui fut difficile de se rappeler l'émerveillement que lui inspirait l'étoile. Car le jour nouveau apportait au vieux dromadaire d'autres douleurs et d'autres fardeaux.

— Je n'y arriverai jamais. Je n'en suis plus capable. Je ne peux plus porter quoi que ce soit. Mes pattes s'affaiblissent. Et ma goutte, ma sciatique, mes articulations… Je suis trop chargé!

Des nouvelles de la caravane s'étaient répandues comme des grains de sable éparpillés par le vent. On se bousculait le long des pistes, chacun tendant à Bousmaha un cadeau destiné au nouveau roi. Des pots de miel et des paniers pleins de pièces de monnaie. Des cuirs et des peaux, des pierres précieuses et des colliers de perles. Enfin, et surtout, il y avait vingt cruches de vin.

Bousmaha gémit: « Ce fruit de la vigne me perdra! »

Tout à coup, le plus jeune des dromadaires s'écria:
— Regardez! Là! C'est Bethléem! Bousmaha, tu as réussi!
Tu es vraiment aussi fort que dix chevaux!

Bousmaha savait qu'il y arriverait. Il devait seulement continuer, sans s'arrêter,
jusqu'à l'endroit où brillait l'étoile. Il en était capable, il savait qu'il pouvait le faire!

Alors, dans la nuit qui s'installait, une petite voix s'éleva:
— J'ai un cadeau pour le bébé.

Bousmaha baissa les yeux et aperçut un petit enfant, tout frêle.

— Je t'en prie, petit, plus de cadeaux.

— Il ne pèse rien, mon cadeau, dit l'enfant. C'est long et léger, et c'est pour le roi qui est né cette nuit. C'est minuscule.

— Même minuscule, c'est déjà trop, marmonna le dromadaire.

— N'ai-je pas entendu dire que tu étais aussi fort que dix chevaux?

Bousmaha regarda l'enfant droit dans les yeux et, brusquement, fut ému.

— D'accord, petit. Donne-le-moi, ce moins que rien de cadeau. Quel mal peut-il faire?

— C'est pour son lit. C'est tout ce que j'ai.

— Ça va aller, dit bêtement Bousmaha.

Pendant tout ce temps, le dromadaire n'arrêtait pas d'avancer, car il craignait ne plus pouvoir reprendre son chemin. Il voyait maintenant, pas très loin, l'étoile qui brillait au-dessus d'une pauvre étable.

— Viens, petit, dit-il. Dépose ton brin de paille sur ma bosse car nous arrivons.

Bousmaha pénétra dans l'étable.

— Mes genoux sont tout flasques! Mes pattes tremblent. Mon dos est fourbu.
Ce dernier brin de paille va-t-il m'achever?

En disant cela, il tomba à genoux. Ma foi, pensa-t-il. C'est inexcusable, un
dromadaire ne se comporte pas de cette façon! Bousmaha le faible! dira-t-on.
Bousmaha le fier n'aurait jamais dû s'aventurer aussi loin.

Les Rois mages aperçurent le vieux dromadaire. Aussitôt, ils s'agenouillèrent eux aussi.

— Ils se moquent de moi, maintenant! Ils tombent tous à genoux, la tête penchée comme de vieux arbres noueux.

Alors, depuis la crèche, une toute petite main effleura Bousmaha. Ses douleurs s'effacèrent, et il ne ressentit plus son fardeau.

— Hosanna, dit-il doucement à l'Enfant. Accepte ces présents de bon cœur. Ils viennent de loin, apportés par une pauvre bête qui ne savait pas trop dans quoi elle se lançait.

Depuis lors, Bousmaha ne refusa plus jamais de porter un fardeau, fût-il petit ou grand.